Naissance d'une légende

Theresa Marrama

Everything negative – pressure, challenges – is all an opportunity for me to rise.

– Kobe Bryant

A Note to the Reader

This is a short biographical account of Kobe Bryant's life based on various sources, including books about his life, recorded interviews, as well as numerous internet sites. It was inspired by his determination, success, and tragedy, all of which are a part of his legacy.

I hope that you enjoy the story, learning how Kobe's early years sparked the passion and dedication that led him to break records from his very first moment in the NBA.

TABLE DES MATIÈRES

Prologue... 1

Chapitre 1 2

Chapitre 2.. 6

Chapitre 3... 10

Chapitre 4 16

Chapitre 5..22

Chapitre 6 27

Chapitre 7..34

Chapitre 8 40

Chapitre 9 45

Chapitre 10..53

Epilogue 59

Glossaire 61

ACKNOWLEDGMENTS

A big **MERCI BEAUCOUP** to the following people: Françoise Piron, Melynda Atkins, Pamela Gick Vasquez, Jennifer Degenhardt and Wendy Pennett for reading my story and providing helpful feedback. Thanks to Anny Ewing and Teresa Torgoff for their amazing ability to read a text and make it better. Not only did you provide great feedback, but you never hesitate to read my stories or edit my work.

Merci beaucoup to my French students who inspired me to write this story.

Prologue

Quand on pense aux athlètes professionnels des États-Unis, on pense à Kobe Bryant. C'était un très bon joueur de basket ! Il y a beaucoup de personnes qui aiment Kobe Bryant. Les enfants aiment Kobe Bryant. Les adultes aiment Kobe Bryant. Les autres athlètes aiment Kobe Bryant. Les autres athlètes célèbres aiment Kobe Bryant. C'était un athlète très talentueux et très déterminé. C'était un athlète pas comme les autres.

Chapitre 1

– Kobe ! Kobe Bean ! Ton père est à la télé ! Tu vas regarder le match ? a crié sa mère.

Kobe était dehors. Il était **toujours**[1] dehors. Il était toujours dehors parce qu'il jouait au basket. Il aimait jouer au basket-ball. Le basket-ball était son sport favori !

Kobe n'a pas répondu à sa mère. Il a continué à jouer au basket.

– KOBE ! Ton père joue au basket ! a répété sa mère.

– O.K. Maman ! J'arrive ! a crié Kobe.

Finalement, Kobe a arrêté de jouer au basket.

---

1 **toujours** - always

Il a couru et est entré dans la maison. Il voulait regarder le match de son père. Il regardait tous ses matchs.

– Maman, tu vas regarder le match de basket-ball avec moi ? a demandé Kobe.

– Oui, j'arrive dans une minute, a répondu sa mère.

Kobe était content. Il était content de regarder le match de basket-ball. Il aimait regarder son père à la télé. Son père était célèbre. Il était un très bon joueur de basket.

Kobe était des Etats-Unis. Il était de Pennsylvanie. La Pennsylvanie est un **état**[2] dans l'est des **États-Unis**[3].

En ce moment, il habitait en Italie avec sa famille. Son père s'appelait Joe. Son père était très sportif. Il jouait au basket-ball dans la NBA. Maintenant il jouait dans la ligue professionnelle en Italie.

---

2 **état** - state
3 **États-Unis** - United States

Chapitre 2

— Kobe Bean, tu veux jouer au basket professionnel comme ton père ? a demandé sa mère.

— Oui, maman ! ABSOLUMENT ! a répondu Kobe.

Kobe était son prénom. Bean était son **deuxième prénom**[4].

— Papa a un match à la télé ? a demandé sa sœur, Shaya.

Kobe avait deux sœurs, Shaya et Sharia. Shaya avait 8 ans. Sharia avait 9

---

[4] **deuxième prénom** - middle name

ans. Kobe était le plus jeune de la famille. Il avait 7 ans.

– Oui, papa a un match. Tu veux regarder le match avec moi ? a demandé Kobe.

Shaya a regardé Kobe sur le sofa.

– Oui, est-ce qu'il joue contre une bonne **équipe**5 ? a demandé Shaya

– Je ne sais pas, mais papa va **gagner**6. Son équipe est excellente ! a dit Kobe.

---

5 **équipe** - team
6 **gagner** - to win

Kobe savait beaucoup de choses sur le basket-ball. Il avait seulement 7 ans, mais il comprenait bien le basket-ball. Il savait tout sur le basket-ball.

Kobe a regardé le match entier. Quand le match était terminé, Kobe était content. Il voulait aller dehors et jouer au basket, mais sa maman voulait qu'il reste à la maison avec ses sœurs.

En secret, il est allé dehors. Il **a sauté du balcon**[7] de sa maison. Il a couru jusqu'**au terrain de jeu**[8] **près de l'église**[9] pour jouer au basket-ball. Sa mère ne savait pas qu'il était allé en secret au terrain de jeu.

---

7 **a sauté du balcon** - jumped from the balcony
8 **au terrain de jeu** - to the playground
9 **près de l'église** - near the church

Chapitre 3

Le père de Kobe est arrivé à la maison.

– Salut Pam, a dit son père à sa mère.

La mère de Kobe s'appelait Pam. Elle était stricte. Son père n'était pas strict.

– Salut Joe, bon match ! a-t-elle répondu.

– Merci, a répondu son père.

– Kobe, ton père est là ! a crié sa mère.

Kobe n'a pas répondu. Kobe était au terrain de jeu. Il continuait à jouer au basket.

– Mais, où est Kobe ? a demandé sa mère.

– Est-ce qu'il est au terrain de jeu ? Quelquefois il saute du balcon en secret et il court au terrain de jeu pour jouer au basket-ball, a dit son père.

Sa mère n'était pas contente. Elle est allée au balcon. Elle a regardé le terrain de jeu près de l'église. Kobe était là. Il jouait au basket. Elle a crié :

« Kobe ! »

Finalement, après 5 minutes, il est arrivé à la maison.

– Kobe, ne va pas au terrain de jeu en secret. C'est dangereux. C'est très dangereux.

– Mais maman, je veux jouer au basket-ball. Je vais au terrain de jeu pour jouer au basket. Ce n'est pas dangereux.

– Oui, je sais, mais quand tu veux jouer au basket, demande-moi la permission ou demande la permission à ton père, a dit sa mère.

– O.K. maman, a répondu Kobe.

Il a regardé son père et il a parlé du match. Kobe parlait toujours de ses matchs quand son père arrivait à la maison. Il aimait parler de basket-ball. Son père en savait beaucoup sur le basket-ball. C'était un joueur de basket avec beaucoup d'expérience. Il a joué dans la NBA pour les 76ers à Philadelphie. Il était célèbre. Kobe voulait être joueur professionnel comme son père.

Chapitre 4

C'était lundi et Kobe est allé à l'école. Kobe n'avait pas **beaucoup d'amis**[10] à l'école. Il ne parlait pas beaucoup aux autres. Il ne savait pas parler italien.

10 beaucoup d'amis - a lot of friends

– **Buongiorno. Come stai oggi**[11] **?** a demandé son prof.

Kobe était nerveux. Il aimait l'Italie. Il aimait sa maison. Il aimait l'école en général. Mais, à l'école en Italie, c'était difficile. C'était difficile parce qu'il ne parlait pas italien. Il parlait anglais. Il savait parler anglais. Il ne savait pas parler italien.

– **Ciao. Buon. Grazie**[12]**,** a répondu Kobe.

Kobe a continué à écouter l'italien **jour après jour**[13]. Il a écouté l'italien à

---

11 **Buongiorno. Come stai oggi?** - Good morning. How are you today?
12 **Ciao, buon. Grazie** - Hi. Good. Thanks.
13 **jour après jour** - day after day

l'école. Il a écouté l'italien à la télé. Il a écouté beaucoup d'italien. Petit à petit, il a commencé à parler, c'était difficile pour lui. Il a continué à exercer l'italien à l'école. Il s'est exercé à parler l'italien à la maison avec sa famille. Et petit à petit, il a exercé son italien avec ses amis sur le terrain de football.

En Italie, les autres enfants aimaient jouer au football. Le sport populaire en Italie n'était pas le basket-ball. Le sport populaire en Italie était le football. Le football était un sport très populaire en Europe. Le football était plus populaire en Europe qu'aux États-Unis. Kobe jouait au football avec les autres. Il jouait beaucoup au football, mais il a continué à jouer beaucoup au basket aussi.

Après l'école, Kobe voulait jouer au basket. Il est entré dans sa maison et a dit :

– Maman, je veux jouer au basket sur le terrain de jeu !

– Un moment, Kobe. Je veux te parler de l'école. Est-ce que ça va à l'école ? a demandé sa maman.

– C'est difficile, maman. Je ne sais pas parler italien. Le prof est sympa. Les autres étudiants sont sympas, mais je n'ai pas d'amis, a expliqué Kobe.

– Oh, Kobe, je sais que c'est difficile pour toi. Je ne sais pas parler italien **non**

plus[14]. C'est difficile pour moi aussi. Tu vas continuer à écouter l'italien. Tu vas parler italien **bientôt**[15] ! a expliqué sa mère.

– Oui, je sais maman. Je suis déterminé à parler italien. J'aime l'Italie ! Je **peux**[16] jouer au basket-ball ? a-t-il demandé.

– Oui, Kobe, tu peux jouer au basket.

---

14 **non plus** - either
15 **bientôt** - soon
16 **peux** - can

Chapitre 5

— Kobe ! a crié sa maman.

— Oui, maman ? a répondu Kobe.

— Tu as un **colis**[17] des États-Unis ! a annoncé sa maman.

Il savait exactement pourquoi il y avait un colis des États-Unis. C'était un colis de son grand-père. Son grand-père regardait les matchs de basket-ball à la télé. Il **enregistrait** [18] les matchs en vidéo pour Kobe. Kobe aimait regarder les matchs de la NBA. Il regardait les

---

17 colis - package
18 enregistrait - used to record

vidéos jour après jour. Il regardait les vidéos pour mémoriser les mouvements des joueurs professionnels. Après, il copiait les mouvements des joueurs.

– Maman, où est le colis ? a demandé Kobe impatient.

– Le colis est sur le sofa, a répondu sa maman.

Kobe a couru jusqu'au sofa. Il a couru jusqu'au sofa et il a vu le colis. Il savait qu'il y avait des vidéos des matchs de la NBA dans le colis.

– YOUPI, maman ! C'est une autre boîte de vidéos de grand-père ! a crié Kobe, très enthousiaste.

– Ton grand-père est sympa, Kobe. Il sait que tu aimes les matchs de la NBA, a répondu sa maman.

Kobe a regardé les vidéos. Il était content de regarder le basket-ball. Il aimait regarder les athlètes célèbres. Il aimait regarder les athlètes **comme**[19] Michael Jordan. Il voulait être comme Michael Jordan. Un jour, il voulait jouer pour la NBA avec Michael Jordan.

Pendant ces premières années en Italie, le plus grand spectacle pour Kobe n'étaient pas les matchs professionnels à la télé ni les vidéos des matchs de la NBA

---

19 comme - like

de son grand-père. Après tout, le père de Kobe était joueur professionnel de basket-ball dans la ligue italienne. Kobe aimait aller au terrain de basket-ball avec son père et regarder son équipe s'entraîner. Il passait beaucoup de temps sur le terrain de basket-ball avec les joueurs professionnels de basket-ball.

Mais regarder les joueurs professionnels qui jouent au basket n'était pas la même chose que de jouer avec des joueurs talentueux. Et en Italie, il n'y avait pas beaucoup de jeunes qui jouaient aussi bien que Kobe. Et ça, c'était un problème.

Chapitre 6

Un jour, après l'école, Kobe était à la maison. Il exerçait son italien. Il s'exerçait à parler italien avec sa sœur Sharia et sa sœur Shaya. Chaque après-midi, Kobe s'exerçait à parler italien avec ses sœurs.

À ce moment, pendant qu'il exerçait son italien avec ses sœurs, son père a dit :

– Kobe Bean !

– Oui, papa ?

– Il y a une ligue de basket pour les garçons de ton âge. Tu as 10 ans et tu

peux jouer dans la ligue. Tu veux jouer ?
C'est une bonne occasion de parler avec
les autres garçons. Tu peux aussi parler
en italien.

– Papa ! Une ligue de basket pour les
garçons ! OUI, **OVVIAMENTE**[20] ! Je
veux jouer ! a crié Kobe, très
enthousiaste.

Le premier jour d'entraînement avec
la ligue, Kobe était super content. Kobe
est arrivé et immédiatement, il a vu qu'il
était le plus grand garçon de son équipe.
Mais, ce n'était pas important pour Kobe.

---

20 obviamente - (Italian for) obviously

Il pouvait jouer avec les autres et il était content, très content.

Le père de Kobe le regardait jouer avec les autres garçons dans la ligue. Son père a réalisé que Kobe n'était pas comme les autres garçons de son âge. Il était unique. Il ne jouait pas au basket comme les autres garçons. Il jouait très bien au basket-ball. Il jouait au basket-ball **mieux**[21] que tous les autres garçons de la ligue. **C'était évident** [22] qu'il était le plus talentueux de son équipe et de la ligue.

---

21 mieux - better
22 C'est évident - it is obvious

Un jour après l'entraînement de Kobe
avec la ligue, son père a parlé avec sa
mère. Il lui a dit :

– Pam, Kobe joue bien au basket, très bien pour son âge.

– Joe, il joue au basket jour après jour. C'est **tout ce qu'il fait[23]**.

– Oui, et il a beaucoup de talent. Kobe n'est pas comme les autres garçons de son âge ici en Italie. Il est sérieux quand il joue au basket. Il est plus talentueux que tous les autres garçons de la ligue.

– Il est tout comme son père, a répondu la mère de Kobe.

Kobe a continué à jouer dans la ligue italienne. Il a joué pendant deux ans en

---

23 tout ce qu'il fait - all he does

Italie. Il a continué à aller aux États-Unis chaque été pour jouer dans l'autre ligue plus compétitive. Kobe aimait la ligue et la compétition. Il aimait jouer au basket-ball aux États-Unis. En Italie, il n'y avait pas beaucoup de ligues de basket-ball.

En 1991, le père de Kobe a annoncé qu'il allait **prendre sa retraite**[24] de la ligue professionnelle de basket en Italie. Il a annoncé que la famille Bryant allait retourner aux États-Unis.

---

24 **Prendre sa retraite** - to retire

Chapitre 7

Kobe avait 13 ans quand il est retourné à Philadelphie en Pennsylvanie en 1991 avec sa famille. Il est retourné à l'école américaine. Ses deux sœurs sont retournées à l'école aussi. Ses sœurs n'avaient pas beaucoup de problèmes quand elles sont retournées à l'école américaine, mais Kobe avait des problèmes. Un jour il a parlé à sa sœur Sharia :

– Je comprends l'anglais, mais je ne comprends pas mes **camarades de classe**[25] ! Je comprends l'anglais, mais je ne comprends pas les expressions américaines ! a-t-il crié

– Kobe, c'est de l'argot des jeunes, lui a expliqué sa sœur Sharia. C'est comme l'italien : si tu écoutes bien et fais bien attention, tu vas comprendre.

– En plus, ils regardent mes vêtements comme si j'étais un extraterrestre !

– Mais non, Kobe Bean ! C'est juste que les vêtements sont différents en

---

25 camarades de classe - classmates

Italie, répond Sharia. Probablement qu'ils sont jaloux.

— Et quand je **serre la main**[26] ou **fait la bise**[27], tout le monde **rigole**[28], a dit Kobe, frustré.

— Pauvre Kobe ! En Italie tu étais trop américain et aux Etats-Unis, tu es trop italien !

Mais pour une chose, Kobe était très américain : le basket ! Quand il jouait au basket, il n'était pas frustré. Quand il

---

26 serre la main - take their hand
27 fait la bise - kiss on the cheek
28 rigole - laughs

jouait au basket, les autres comprenaient qu'il était complètement américain !

Finalement, **en troisième**[29] Kobe est allé au Lycée Lower Merion près de Philadelphie. Son père **était aussi allé**[30] au Lycée Lower Merion quand il était jeune. Kobe a joué dans l'équipe de basket **universitaire** [31] du lycée. Il continuait à s'entraîner tous les jours. Il s'entraînait quand il retournait à la maison après **l'entraînement** [32] de basket à l'école.

---

29 en troisième - in 9th grade
30 était aussi allé - also went
31 universitaire - varsity
32 l'entraînement - practice

Un jour, Kobe jouait au basket à la maison quand son père a dit :

– Kobe, il y a une ligue de basket. La ligue s'appelle Amateur Athletic Union. Les équipes vont dans d'autres villes pour jouer contre d'autres équipes. Il y a beaucoup de bonnes compétitions. Je pense que c'est une bonne idée de jouer dans cette ligue. C'est important d'avoir plus d'expérience avec les joueurs plus compétitifs. Plus tu as d'expérience avec les joueurs plus compétitifs, mieux tu joues, a dit son père.

– Oui, bien sûr, je veux jouer dans la ligue, a dit Kobe.

Chapitre 8

Kobe continuait à jouer à l'école et aussi dans la ligue AAU. Après quelque temps, c'était de plus en plus évident que Kobe avait beaucoup plus de talent que les autres garçons de son âge. Pour Kobe, c'était important de **s'améliorer**[33]. Il ne voulait pas être bon. Il voulait être le meilleur ! Jour après jour, Kobe continuait de s'améliorer. Il était déterminé à s'améliorer.

En 1995 Kobe était **en terminale**[34] au Lycée Lower Merion. Tout allait bien

---

33 s'améliorer - to improve
34 en terminale - in senior year

pour Kobe. Il avait 17 ans. Il était le meilleur joueur de son âge dans **tout le pays**[35]. Il pouvait aller à l'université de son choix : l'université de Duke voulait que Kobe joue pour **eux**[36]. L'université de Kansas voulait Kobe. Beaucoup d'autres universités le voulaient aussi.

Un jour, son père lui a dit :

— Kobe, tu as beaucoup d'offres. Il y a beaucoup d'universités qui s'intéressent à ton talent.

Kobe a regardé son père, une expression sérieuse sur le visage. C'était

---

35 tout le pays - the whole country
36 eux - them

la même expression qu'il avait quand il jouait au basket.

— Oui, je comprends. C'est une grande décision à prendre, a répondu Kobe.

— Est-ce que tu comprends que tu es le meilleur joueur de ton âge de tout le pays ? a demandé son père.

Kobe n'a pas répondu, mais il a compris. Son père a continué à parler :

— Toutes les universités du pays te veulent, Kobe. Tu peux aller à l'université de ton choix. Tu es talentueux et intelligent. Tu as de **bonnes notes**[37].

---

37 bonnes notes - good grades

Est-ce que tu sais dans quelle université tu veux jouer ?

Kobe a pensé : « Je sais que mon père pense... C'est une bonne idée d'aller à l'université pour une éducation mais je ne veux pas étudier, je veux jouer au basket. Je suis un bon joueur de basket. Je pense que je suis un bon joueur de basket pour la NBA. »

Kobe a regardé son père et a dit très sérieusement :

– Papa, je ne veux pas aller à l'université. Je veux aller dans la NBA. Je veux être joueur de basket professionnel comme toi. Je veux jouer dans la NBA. Ça c'est ma décision.

Chapitre 9

En avril, 1996 Kobe a annoncé sa décision. C'était un moment important pour Kobe, mais il était nerveux. Il était très nerveux. Il avait seulement 17 ans et c'était une grande décision pour Kobe.

Tout le monde voulait connaître sa décision. Tout le monde était dans le gymnase de son lycée, Lower Merion.

– Comment ça va, Kobe ? Es-tu nerveux ? a demandé sa sœur.

– Ugh... ehh... Ça va bien, a répondu Kobe.

Kobe était nerveux. Il devait prendre une décision incroyable et devant beaucoup de personnes.

C'était incroyable. Quand il jouait au basket devant beaucoup de personnes,

Kobe n'était pas nerveux, mais il était très nerveux de parler devant tout le monde dans le gymnase à ce moment. Il y avait sa famille. Il y avait ses amis. Il y avait des journalistes. Il y avait des photographes. Il y avait beaucoup d'autres étudiants et beaucoup d'autres parents.

Finalement, Kobe a annoncé :

— Je sais que tout le monde veut connaître ma décision.

Tout le monde **attendait**[38]. Il y avait un grand silence dans le gymnase. Kobe regardait tout le monde.

---

38 attend - was waiting

Kobe a pensé : « Je dois l'annoncer. »

– J'ai **décidé** [39] que je ne vais pas jouer pour une université.

Kobe avait un grand sourire parce qu'il avait une autre surprise.

– J'ai décidé de jouer dans la NBA !

Il y a eu une explosion de cris et de joie. Il y a eu une explosion d'applaudissements. Kobe était content de sa décision, très content.

Kobe a regardé tout le monde dans le gymnase.

---

39 décidé - decided

Kobe a écouté quelques personnes. Elles ont demandé :

– Est-ce qu'il est trop jeune pour jouer dans la NBA ?

À ce moment, Kobe s'est demandé : « Est-ce que je suis trop jeune pour jouer dans la NBA ? Est-ce que j'ai assez d'expérience pour jouer dans la NBA ? »

Mais ses parents, ses coachs, savaient que Kobe était assez talentueux pour jouer dans la NBA. Ses parents et ses coachs savaient qu'il était assez déterminé et sérieux pour jouer dans la NBA. Et Kobe respectait l'opinion de son père et de son coach.

Avant les sélections en juin 1996, Kobe parlait à son coach. Son coach a demandé :

— Tu es **prêt**[40] ?

— Oui, je suis prêt, nerveux, mais prêt. Je veux seulement bien jouer pendant les **essais**[41], a répondu Kobe.

Finalement, le moment des sélections est arrivé. Kobe allait savoir où il allait jouer :

« Les Charlotte Hornets sélectionnent... KOBE BRYANT ! »

---

40 prêt - ready
41 essais - tryouts

Kobe a eu un grand sourire. C'était officiel ! Il était joueur professionnel dans la NBA ! C'était **un rêve**[42].

Mais, quelques minutes après, il y a eu une autre annonce :

« Les Charlotte Hornets veulent échanger Kobe pour un autre joueur. »

Kobe n'a pas compris ce qui se passait. Il s'est demandé : « Où est-ce que je vais jouer ? »

L'homme a continué son annonce :

---

42 un rêve - a dream

« Kobe Bryant va jouer pour les Lakers de Los Angeles. »

Kobe a pensé : « C'est officiel ! Je suis joueur de basket-ball dans la NBA ! Je suis prêt, je vais être le meilleur ! »

Chapitre 10

Pendant son **premier mois**[43] dans la NBA, Kobe n'était pas le meilleur. En fait, Kobe s'entraînait avec son équipe, mais il ne jouait pas dans les matchs contre les autres équipes de la NBA. Kobe ne comprenait pas.

Un jour, Kobe était dans sa maison. Il a pensé à ses premiers mois dans la NBA. Il ne comprenait pas pourquoi il n'était pas le meilleur joueur de son équipe. Il avait beaucoup de questions.

---

43 premier mois - first month

Pourquoi est-ce que je ne joue pas beaucoup ?

Est-ce que mon coach pense que je suis trop jeune ?

Est-ce que mon coach pense que d'autres joueurs ont plus d'expérience ?

Kobe a pris une autre décision importante. Il a décidé de s'améliorer. Il voulait jouer plus au basket-ball.

Kobe s'est dit : « Je vais m'entraîner plus. Je vais jouer plus. Je vais m'améliorer. »

Il ne passait pas beaucoup de temps avec son équipe après l'entraînement. Il ne passait pas beaucoup de temps avec les autres joueurs du terrain de basket-ball. Il restait seul. Il passait beaucoup de temps à regarder des vidéos de basket-ball. C'était une vie solitaire.

Un jour, Kobe parlait avec son père et il lui a demandé :

— Papa, la NBA, c'est un rêve, mais je ne joue pas beaucoup dans les matchs. Je veux jouer. Je ne veux pas regarder les matchs, a dit Kobe.

— Je comprends, Kobe, mais tu es jeune et il est important que tu sois patient. Tu vas jouer. Sois patient. Continue à t'entraîner.

– Oui, papa. Je m'entraîne beaucoup, a dit Kobe.

– Est-ce que tu aimes les autres joueurs de ton équipe ? a demandé son père.

– Je ne passe pas beaucoup de temps avec les autres joueurs de l'équipe après l'entraînement. Je n'ai pas le temps. Je m'entraîne et je regarde les vidéos de basket aussi souvent que possible. Je sais que je n'ai pas beaucoup d'expérience dans la NBA, mais je vais continuer à m'entraîner, a dit Kobe.

– C'est bien, mais il est important que tu passes du temps avec ton équipe et les autres joueurs, pas seulement pendant l'entraînement. Tu es une partie de cette équipe, même si tu ne joues pas pendant chaque match, Kobe.

– O.K. papa, je vais essayer.

Après quelque temps, Kobe a commencé à s'adapter à la vie dans la NBA. Kobe a commencé à mieux jouer.

Un jour, il y avait une conversation entre Kobe et son coach. Son coach a dit :

– Kobe, je vois que tu joues mieux. Non seulement tu joues mieux, mais tu joues mieux avec l'équipe. Tu vas jouer plus dans le prochain match contre les Chicago Bulls. Tu es prêt !

Kobe ne pouvait pas répondre. Son sourire expliquait tout.

Epilogue

Kobe avait beaucoup de succès pendant ses 20 années dans la NBA. Il **a battu** 44 beaucoup de records historiques. Après la NBA, Kobe a utilisé ses talents pour encourager une nouvelle génération de joueurs. Il était coach pour ses filles et pour les autres jeunes. Il a aussi fondé Mamba Sports Academy en 2018.

Le 26 janvier 2020, Kobe, sa fille, le coach de sa fille et 5 autres personnes étaient route pour Mamba Sports

---

44 a battu - broke

Academy à Thousands Oaks, Californie pour un match de basket pour les jeunes quand il y a eu un accident d'hélicoptère tragique. Tout le monde **est mort**[45] dans l'accident. Kobe avait seulement 41 ans. Tout le monde était surpris et choqué. Tout le monde était très triste.

Le 24 février 2020, plus de 20.000 personnes sont allées au Centre Staples à Los Angeles, en Californie pour dire « Au revoir » à Kobe. Il y avait des fans, des personnes célèbres, et sa famille. C'était un jour très triste pour tout le monde.

---

45 est mort - died

Glossaire

A

a - has
absolument - absolutely
accident - accident
adapter - to adapt
adore -
ados - teenagers
adultes - adults
âge - age
ai - have
aider - to help
aimaient - used to like
aimait - used to like
aime - like
aiment - like
aimes - like
allait - used to go, was going
aller - to go
allé(s) - went
américaines - American

amis - friends
après-midi - afternoon
anglais - English
année(s) - year(s)
annoncé - announced, announcement
annoncent - announce
ans - years (old)
appelle - calls
applaudissements - applause
après - after
après-midi - afternoon
argot - slang
arrêté - stopped
arrivé -arrived
arrive - arrives
as - have
assez - enough
athlète(s) - athlete(s)

attendait - was
  waiting
au - to the, at the
au revoir - goodbye
aussi - also
autre - other,
  another
autres - others
aux - to the, in the
avaient - had
avait - had
 Il y avait - there
  was; there were
avant - before
avec – with
avoir – to have
avril - April

B

balcon - balcony
basket - basketball
basket-ball -
  basketball
battu - broke
beaucoup - a lot
bien - well
bientôt - soon

bien sûr - of course
bizarre - weird
bon - good
bonne - good
bonnes - good
bons - good
buon - good
Buongiorno - good
  morning

C

Californie -
  California
**camarades de
  classe** - classmates
ce - this
célèbre(s) - famous
centre – center
ces - these
c'est - it is; he is
c'était - it was; he
  was
cette - this
changent - change
chaque - every
choisissent - choose
choix - choice

choqué - shocked
chose(s) - thing(s)
ciao - hi
classe - class
coach - coach
colis - package
come stai oggi - how
   are you today
comme - like
commencé - started
comment ça va -
   how are you
compétitifs -
   competitive
compétition(s) -
   competition(s)
competitive -
   competitive
comprenaient -
   understood
comprendait -
   understood
comprendre - to
   understand
comprends -
   understand
compris - understood
connaître - to know

content(e) - happy
continuait -
   continued
continué - continued
continuer - to
   continue
contre - against
conversation -
   conversation
copiait - used to
   copy
couru - ran
crié - yelled
cris - cries, shouting

D

d'- of
dangereux -
   dangerous
dans - in
de - from, of
décidé - decided
décision - decision
dehors - outside
demandé - asked
s'est demandé -
   wondered

demande-moi - ask me

depuis longtemps - for a long time

des - from the, of the, some

déterminé - determined

deux - two

deuxième prénom - middle name

devait - had to

devant - in front of

différents - different

difficile - difficult

dire - to say

dit - said

(s'est) dit - said (to himself)

dois - have to

du - some, of the

E

échanger - to trade

école - school

écouté - listened

écouter - to listen

écoutes - listen

éducation - education

église - church

elle - she

elles - they

en - in

encourager - to encourage

enfants - children

enregistrait - used to record

enthousiaste - excited

entier - whole

entré - entered

équipe(s) - team(s)

es - are

essais - tryouts

essayer - to try

est - is

et - and

étais - was

étaient - were

était - was

état - state

États-Unis - United States

été - summer
être - to be
étudiants - students
étudier - to study
eu - had
   Il y a eu - There
   was
Europe - Europe
eux - them
évident - obvious
exactement -
   exactly
excellente -
   excellent
exerçait - was
   practicing
(s'est) exercé -
   practiced
exercer - to practice
expérience -
   experience
expliquait -
   explained
expliqué - explained
explosion - explosion
expression(s) -
   expression(s)
extatique - ecstatic

extraterrestre -
   alien

F

façon - way
fais attention -
   to pay attention
(au) fait - in fact
famille - family
fans - fans
favori - favorite
février - February
fille(s) - girl(s)
finalement - finally
fondé - founded
football - soccer
frustré - frustrated

G

gagner - to win
garçon(s) - boy(s)
général - general
génération -
   generation
grand - big

grand-père -
grandfather
grande - big
gymnase -
gymnasium

H

habitait - lived
hélicoptère -
helicopter
heures - hours
historique -
historical
homme - man

I

ici - here
idée - idea
il - he
ils - they
imagine - imagines
immédiatement -
immediately
impatient -
impatient

important(es) -
important
incroyable -
incredible
intelligent - smart
Italie - Italy
Italien(ne) - Italian

J

jaloux - jealous
j'ai - I have
j'aime - I like
j'arrive - I'm coming
janvier - January
je - I
jeu - game
jeune(s) - young
joie - joy
jouaient - played
jouait - used to play
joue - play
joué - played
jouer - to play
joues - play
joueur(s) - player(s)
jour - day

journalistes - journalists
jours - days
juin - June
jusqu'à - until
juste - just

L

l' - the
la - the
le - the, him
légende - legend
les - the
ligue(s) - league(s)
longtemps - long time
lui - to him, to her
lundi - Monday
lycée - high school

M

ma - my
maintenant - now
mais - but
maison - house
maman - mom

m'améliorer - to improve myself
match(s) - game(s)
me - me
meilleur - better
mémoriser - to memorize
m'entraîne - I practice
merci - thanks
mes - my
mieux - best
minute(s) - minute(s)
moi - me
mois - month
moment - moment
mon - my
mort - died
mouvements - mouvements

N

n'... pas - not
ne... pas - not
naissance - birth
negative - negative
nerveux - nervous

ni - nor
nom - name
non - no
notes - grades
nouvelle - new

O

occasion -
opportunity
officiel - official
offres - offers
ont - have
opinion - opinion
ou - or
oui - yes
ovviamente -
obviously

P

papa - dad
parce que - because
parce qu'il - because
he
parents - parents
parlait - spoke
parlé - spoke

parler - to speak
partie - part
passait - used to
spend
(se) passait - was
happening
passer - to spend
(time)
passes - spend
patient - patient
pauvre - poor
pays - country
pendant - during
Pennsylvanie -
Pennsylvania
pense - think, thinks
pensé - thought
permission -
permission
personnes - people
petit - little
peu - a little
peut - can
peux - can
Philadelphie -
Philadelphia
photographes -
photographers

plus - more
populaire - populaire
possible - possible
pour - for
pourquoi - why
pouvait - was able
premier(s) - first
prendre (une décision) - to make a decision
pris (une decision) - made (a decision)
prénom - first name
probablement - probably
problème - problem
prochain - next
prof - teacher
professionnel(s) - professional
professionnelle - professional

quelle - what, which
quelque - some
quelquefois - sometimes
quelques - some
qui - who

R

réalise - realizes
records - records
regardait - watched, used to watch, was watching
regardé - looked at, watched
regardent - look at
regarder - to look at
répété - repeated
répondre - to respond
répondu - responded
reporters - reporters
respectait - respected
restait - stayed
retournait - used to return; returned

Q

qu' - that
quand - when
que - that

retourné(es) - returned
retourner - to return
retraite - retirement
rêve - dream
rigole - laugh
(en) route - on the way

S

sa - his
sais - know
saison - season
savait - knew
salut - hi
s'améliorer - to improve himself
s'appelait - was called
saute - jumps
savaient - knew
savoir - to know
secret - secret
sélectionnent - select
sélections - draft
s'entraînait - used to practice, practiced
sept - seven
sérieuse - serious
sérieusement - seriously
sérieux - serious
serre la main - shake hands
ses - his
seul - alone
seulement - only
s'exerçait - practiced; used to practice
si - if
silence - silence
s'intéressent - are interested
sœur(s) - sisters
sofa - sofa
sois - be
solitaire - lonely
son - his
sont - are
sourire - smile
souvent - often
spectacle - show

sport(s) - sport(s)
sportif - athletic
strict(e) - strict
succès - success
suis - am
super - super
sur - on
bien sûr - of course
surpris - surprised
surprise - surprise
sympa(s) - nice

T

talent(s) - talent(s)
talentueux - talented
t'améliorer - to improve yourself
te - to you
télé - TV
temps - time
t'entraîner - to practice
terminale - senior year
terminé - ended

terrain de jeu - playground
tes - your
toi - you
ton - your
toujours - always
tous - all
tout ce que - all that
tout le monde - everyone
toutes - all
tragique - tragic
très - very
triste - sad
troisième - 9th grade
trop - too
tu - you

U

un - a, an
une - a, an
unique - unique
université(s) - college(s)
universitaire - varsity
utilisé - used

V

youpi - yippee

va - goes
vais - go
vas - go
vêtements - clothes
veuilles - want
voulaient - wanted
voulait - wanted
veut - wants
veux - want
vidéo(s) - video(s)
vie - life
villes - city
visage - face
vois - see
voit - sees
vont - go
vrai - real
vu - saw

Y

y - there

ABOUT THE AUTHOR

Theresa Marrama is a French teacher in Northern New York. She has been teaching French to middle and high school students since 2007. She is the author of many language learner novels and has also translated a variety of Spanish comprehensible readers into French. She enjoys teaching with Comprehensible Input and writing comprehensible stories for language learners.

Theresa Marrama 's books include:

Une Obsession dangereuse, which can be purchased at www.fluencymatters.com

Her French books on Amazon include:

Une disparition mystérieuse
L'île au trésor:
Première partie: La malédiction de l'île Oak
L'île au trésor:
Deuxième partie: La découverte d'un secret
La lettre
Léo et Anton
La maison du 13 rue Verdon
Mystère au Louvre
Perdue dans les catacombes
Les chaussettes de Tito
L'accident
Kobe – Naissance d'une légende (au présent)

Her Spanish books on Amazon include:

La ofrenda de Sofía
Una desaparición misteriosa
Luis y Antonio
La carta
La casa en la calle Verdón
La isla del tesoro: Primera parte: La maldición de la isla Oak
La isla del tesoro: Segunda parte: El descubrimiento de un secreto
Misterio en el museo
Los calcetines de Naby
El accidente

Kobe – El nacimiento de una leyenda (en tiempo presente)
Kobe – El nacimiento de una leyenda (en tiempo pasado)

Her German books on Amazon include:

Leona und Anna
Geräusche im Wald
Der Brief
Nachts im Wald
Die Stutzen von Tito
Der Unfall

Check out Theresa's website for her books, resources and materials to accompany her books:

www.compellinglanguagecorner.com

Check out her e-books :

www.digilangua.com

Made in the USA
Columbia, SC
08 October 2022

69037320R00046